KB077167

그대 뜰 안의 꽃

이홍근 시선집

그대 뜰 안의 꽃

저자 _ 이충근

발행 _ 2023.11.30

펴낸이 _ 한건희

펴낸곳 _ 부크크

출판등록 _ 2014.07.15.(제2014-16호.)

주소 _ 서울특별시 금천구 가산디지털1로 119 SK트윈타워 A동 305

전화 _ 1670-8316

info@bookk.co.kr

출판기획 _ enBergen (엔베르겐)

디자인 _ enbergen3@gmail.com

ISBN _ 979-11-410-5521-9

값은 표지에 있습니다.

■ 그대 **뜰** 안의 **꽃**

이충근 시선집

, 목차

＇＇ 프롤로그

눈으로
푸른 하늘을 바라볼 수 있음을
귀로
철썩이는 파도 소리를 들을 수 있음을
코로
꽃밭의 향기를 맡을 수 있음을
입으로
사랑하는 이의 이름을 부를 수 있음을
얼굴로
빛나는 태양을 미소 띠며 대할 수 있음을
가슴으로
고요하고 평온한 호수를 안을 수 있음을
손으로
계곡물을 만지고 씻을 수 있음을
발로
푸른 초원을 걷고 서 있을 수 있음을

감사히 여깁니다

그리고

오랫동안 일구어 온 마음 밭에서
詩를 수확하고 나누어 줄 수 있음을
감사히 여깁니다

,

,

Part 1.
사랑에게

승화

그대 창가에
한 잎 낙엽으로 머물겠습니다

비에 젖고 바람에 흔들려도
그대 창가에 머물겠습니다

높은 곳에서 떨어지고
먼 곳으로 멀어져 간 것

쉬지 않는 음률로도
붉은 맥박으로도
더는 어찌하지 못합니다

그저
바람과 흙이 데려갈 때까지

그대 창가에
한 잎 낙엽으로 머물겠습니다

＇ 겨울 빗물꽃

새벽 찬바람 탄 겨울비 내려
보도에 수많은 빗물꽃 피고

두 손으로 살포시 귀를 감싸
빗물꽃 피어나는 소릴 들어

물방울이 된 그리움은
날아올라 사랑을 찾고

사랑을 이룬 물방울 들이
빗물꽃을 피우는 걸까

그 사랑이 얼마나 아프고 아파서
그 사랑이 얼마나 곱고 고와서
수많은 빗물꽃을 피우는 걸까

순식간 피고 돌차간 지는
겨울 빗물꽃들의 사랑

아!
사랑의 전설들이 이리도 많았단 말인가

소중한 사랑

우리 사랑 아플 때
하늘에서 비가 내려와
말없이 씻어 줘

우리 사랑 변할 때
초원에서 바람이 불어와
잠잠히 털어 줘

우리 사랑 힘들 때
구름에서 눈이 내려와
조용히 덮어 줘

아픔을 씻어도 우리 사랑
티끌을 날려도 우리 사랑
힘듦을 덮어도 우리 사랑

모든 것이
소중한 사랑이어라

' 교복입은 소녀

해 저무는 골목길에서
언뜻 너를 본 후
온통 그리워하며
살아온 지 여러 해

언제였을까
맨 처음 네 이름을
조용하게 읊조렸을 때가

좋아했으나
쉽게 다가가지 못했고
나만의 꽃이길 바랐으나
작은 잎 하나 가질 수 없었으니

교복 입은 소녀는
저만치 홀로 걸었고

나는 뒤따라 걸으며
웅얼웅얼 불렀었지
같이 갈까 같이 갈까 같이 갈까 같이 갈까

달이 지기 전에

이달이
지기 전에
당신의 마음 듣겠습니다

이달이
지기 전에
당신의 손길 받겠습니다

우린
할 얘기가 너무나 많습니다

이제는
한마디 할 때도 되었고

이제는
한 손길 줄 때도 되었는데

당신은
깊은 어둠만큼 말이 없습니다

' 어둠의 창가

어둠의 창가에서
나는 너의
너는 나의
마음을 기다리고 있었다

하늘을 향해
시간의 스쳐 감을
어린애처럼 보채다
차라리 이 밤으로
나는 바람이 되어 날아가고
너는 돌이 되어 남을 텐가

아니면
너는 바람이 되어 날아가고
나는 돌이 되어 남을 건가

별이 되어 살자

우리 둘
마음을 모아
빛남을 이루는
하나의 별이 되자

미어지도록 꽉 찬
힘듦이 있어도
서로를 꼬옥 안아주자

태양의 뜨거움이 적고
별똥별도 스치지 않는 행성을 찾아
순수한 불로 밥을 짓고
은은한 내음의 차를 마시며

바라보는 눈빛과
위하는 마음과
마주 잡은 손으로
반듯함을 존중하며 살자

떠도는 흰 새

사랑이여
저 파랗게 출렁이는 바다에
떠도는 흰 새나 되어라

잠든 숲에서 깨운
모든 것들이
백합과 장미 위의 이슬처럼
사라지기 전에

그대와 나
저 파랗게 출렁이는 바다에
떠도는 흰 새나 되었으면

그리하여 정녕
별빛을 꿈꾸던 시간을 잊고
그대와 나마저
잊었으면

ProPose(請婚)

그대의
따뜻한 눈길 앞에서
사랑의 말 하고 싶네

그대의
다정스러운 마음에서
참사랑 얻고 싶네

사람들은
바다가 마르고 산이 무너져도
영원히 변치 않겠다고들 하지만

나는 그저
그대의 손을 잡고
그대만을 위하겠다고 말하고 싶네

나에게 주어진 생이 다할 때까지

， 귤님의 사랑

귤님의 사랑은
녹색의 마음으로 태어나
황색의 사랑으로 변해 갑니다
점점 사랑은 익어가지만
스스로 보여 줄 수 없기에
꿈꾸던 단맛 속에 아픈 신맛이 생깁니다

귤님의 사랑은
조각조각 갈라지고
갈라진 조각 속에 눈물방울이 넘치는데
사랑한다는 표현도 못 한 체
기다리고 바라보고 떨어지고
안타까운 시간만 흐릅니다

한 번만
나를 봐 주시면 안 될까요

한 번만
내 맘을 들여다보시면 안 될까요

독서 상

어두운 교정에서
하얗게 책을 읽는 소녀야

지금은
봄이란다

지난 겨울
너에게 물어본 걸 들으려 한다

책을 덮고
다정한 눈으로 나를 봐라

그리고
설명해다오

사랑의 시작과
사랑의 가꿈과
사랑의 간직함을

"소중한 사랑은
아플 때 비가 씻어주고,
변할 때 바람이 털어주고,
힘들 때 눈이 덮어주지"

,
,

Part 2.
사랑하는 이에게

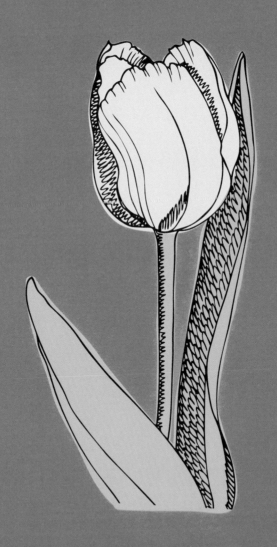

아내의 편지

색이 변한 봉투
눈에 익은 글자 사이로
단풍 같은 세월이 물들어 있습니다

색이 변하는 건 세월만이 아닙니다
사랑만을 남겨둔 채
곱고 어여쁜 모습도 신을 따라 떠나갔구나

당신의 마음이 만든
눈물과 힘듦의 길을 바라봅니다

젊은 당신은
그 길을 따라 걸으며 눈물지었겠구나
그 길에 미안함과 고마움을 보냅니다

달라지는 것은 돌아오고
돌아오는 것은 달라지는 것

그날의 당신을 그리워 하며
오늘의 당신을 바라봅니다

부부

너희
모르고 지낸 시간이 얼마인 줄 아느냐
상상도 못 할 곳을 거치고
꿈꾸지도 못할 길을 돌고 돌아
침묵 속에 흐르는 별들의 밭에서
번개가 번쩍이는 순간 만났느니

너희
알아가야 할 시간이 얼마인 줄 아느냐
너희의 만남은 긴 듯 짧고 오래인 듯 순간일시나
온 정성으로 알아내고 온 정성으로 알려줘라
알아냄은 위함이 되고
위함은 행복이 되고
행복은 사랑이 되고
그 사랑은 영원한 별의 빛남으로 승화하리니

너희
잊혀 지낼 시간이 얼마인 줄 아느냐
검은 듯 희고 없는 듯 있는 흐름 속에서
소름 돋는 감탄으로 한순간 스칠 것이니
그때까지 소중히 기억하며 간절히 원하라
다시 이룰 사랑을

 우리 둘

우리 둘
모르고 지나친 세월 아쉬워하며
간절하게 바라고 바랐던
'저이와 결혼했으면'
해 뜰 때 마음 잊지 말아요

우리 둘
함께하는 모든 것에 감사하며
진심으로 다짐하고 다짐했던
'여보 당신보다 더 소중한 사랑'
한낮 때 마음 잊지 말아요

우리 둘
줄어드는 시간 아쉬워하며
애틋하게 원하고 바라는
'내가 더 줄 수 있는 게 뭘까'
해질 때 마음 놓지 말아요

, 당신과 나의 마을

이름을 갖지 못한
구석진 마을에
소쿠리 가득
하얀 첫눈이 쏟아져 담기고
아랑곳없는 냇물은
투명하게 졸졸거립니다
언덕을 훔쳐 가는 자운영꽃
혼자서는 움직이지 못하는 조약돌
이파리와 줄기와 꽃을 꿈꾸는 씨앗
허물없이 걸터앉은 맨발
낭랑 낭랑
바람을 타고 흐르는 노래 한 소절
타닥 타닥
불길을 조율하며 춤추는 콩대
눈물 나게 아름다운 이곳에서
그대와 나는
두고 두고
내리 내리
사랑할 겁니다

하얀 마차

하얀 마차에
당신을 태우고 가겠습니다
수많은 꽃과 나무가 자라는
상상 속 그곳으로

마부는 있지만
채찍은 없고
염소는 있지만
울타리가 없는 그곳으로

바람에 일렁이는
흙먼지쯤은 참아야 하고
푸드덕 꿩에도
놀라지 않아야 합니다

산밑 굴뚝에 연기 오르고
대문이 활짝 열려있는 그곳으로

하얀 마차에
당신을 태우고 가겠습니다

을지로의 하얀 입원

하얀 침대 위에 누워있는
아내를 두고 접어든
을지로 인쇄 골목길

안타까움으로 흐려진 눈빛이
바쁜 사람들과 함께 걸을 때
왼손에 쥔 고마움과
오른손에 쥔 미안함도
함께 길있지

걸으며 생각해보니
비와 바람 같은 것들도 있었으나
그것이 나를 위한 사랑임을
그것이 나를 위한 얘기임을
가슴 깊이 새기고 새기다가

끝내
수색동 포장마차에서
술잔을 비우고 또 비웠지

하얀 편지

끽끽 숨넘어가는
자전거를 재촉해
모퉁이를 돌았을 때
다소곳이 대문에 앉아 있는
흰 비둘기 한 마리

얼마나 기다렸던가
창호지 문으로 새어 들어오는 빛들을 불러
뒤지고 뒤진 깃털 속에서
그의 모습과 채취와 마음들을 찾아낸 후

서둘러
구구거리는 목소리 속에
맑고 검은 눈동자 속에
ㅂ ㅅ 같은 것을 넣었다

밤이 오기 전에
하얀 비둘기를 다시 보내야 하고
그래야 길을 잃지 않을 것이므로

❞ 겨울밤의 연인

초꼬지불 후우 불고
창호지 너머 귀 기울이면
사르륵 임이 오는 소리
사르륵 겨울밤 눈 내리는 소리

누가 볼까 살포시 딛는 임 발자국
누가 볼까 살포시 덮는 눈 발자국

깊은 한숨 후우 뱉고
창호지 너머 귀 기울이면
샤라랑 임이 가는 소리
샤라랑 겨울밤 바람 부는 소리

누가 볼까 살며시 남긴 임 발자국
누가 볼까 살며시 쓰는 바람 발자국

그 밤의 눈도
그 밤의 바람도
임을 모신 가마꾼이었네

참깨꽃 나이

사랑하고 땀 흘리며 알뜰히 썼던
애쓰고 아파하며 살뜰히 썼던
그 나이들 모두
바람에 날리고 빗물 따라 흘러갔느니

이제부터 그대와 나
남은 나이 아끼며 살아요

맛 나이는
냉장고에 넣어두고 조금씩 꺼내 먹어요
멋 나이는
옷장에 걸어두고 철 따라 입어 보아요
추억 나이는
마음에 적어두고 산책길에 읽어 보아요
행운 나이는
풀밭에 숨겨두고 마주 앉아 찾아보아요
향기 나이는
씨방에 전해주고 철마다 맡아 보아요

이렇게 우리
참깨꽃 꿀처럼
조금씩 아끼며 나이 먹어 보아요

산책길

떨어지면
못 볼까 염려함

보고는
떠날까 애태움

언젠가는
잃을까 걱정함

그 마음들
끝이 없을테지

그래서 나
저만치 앞서 걷는
당신을 바라보며
기도합니다

그동안 사랑은 소중히
지금 사랑은 아낌없이
앞으로 사랑도 변함없이

Part 3.
감성에 붙여

산의 분향

봄이 오면
산은
사랑의 아픔을 간직한 이들을 달래고자
수많은 산꽃들을
분향처럼 피웁니다

봄이 오면
산은
꽃들의 향이 치유제임을 알기에
숲으로 오라 손짓합니다

그즈음 나는
무심코 맡은 산꽃향에 취해
깊은 밤 내내
기도하곤 합니다

그대 뜰 안의 꽃이 되거나
그대 품에 안기는 꽃향기가 되길

그대는 혼자인가

혼자 아프고
혼자 슬퍼하는가

아니다
그대를 바라보는 달과
그대를 느끼는 바람과
그대를 씻어주는 비가 있으니
혼자는 아닌 것이다

그러니
문을 열고 나아가라

걸음을 받아주는 흙과
말을 들어주는 새들과
마음을 털어주는 바람과
눈물을 받아주는 풀잎을 찾아

이름과 얼굴

한 사람의 이름을 기억하는 건
머릿속 기록 때문이고
한 사람의 얼굴을 떠올리는 건
마음속 기록 때문이지

이름을 안다는 것만으로는
참된 사랑이라 할 수 없고
얼굴까지 그릴 수 있어야
진정 사랑했다 할 수 있지

머릿속 기록은
마구 휘갈긴 낙서이고
술 취한 밤 꿈 없는 잠듦이지

마음속 기록은
지울 수 없는 하늘색이고
있으나 없고 없으나 있는 듯
말없이 함께하는 거지

, 당신을 찾습니다

당신의 마음
그 포근함 속에 있나요
아닙니다 그냥 흘러가는 구름입니다

당신의 눈빛
이 따뜻함 속에 있나요
아닙니다 그냥 비추는 햇빛입니다

당신의 날들
저 방울들 속에 있나요
아닙니다 그냥 내리는 빗물입니다

당신의 손길
이 시원함 속에 있나요
아닙니다 그냥 스쳐 가는 바람입니다

당신의 모습
저 향기 속에 있나요
아닙니다 그냥 피어난 꽃입니다

색이 변한 장미

다시 오고 싶다는
그 말씀은

잠든 가지에 남긴 기록인가요

다시 오고 싶다는
그 말씀은

바람에 쥐여 보낸 편지인가요

그러나 어찌합니까
영원을 꿈꾸든 붉음은
이미 색을 바랬으니

새가 될까
꿈이 될까
다시 올 그날까지

아카시아 향

가느다란 가지를 흔들며
버드나무 꽃들이 떠나고

여기저기
주렁주렁 열린 하얀 꽃

까까머리 어릴 적 한 움큼 먹었던
그 향기 여전하구나

세상의 모든 곳과 모든 이에게
날아가거라

그리고
하나만 부탁하마

산책 중인 그녀의 콧잔등에도
잠시 스쳐주길

감정의 날개

여밀 수 없는 마음
짙게 채색되어 가는
침묵을 달래며
지난 길을 헤맨다

메마른 의식
야윈 마음과 함께
쓸데없음이
페이지를 더해 가고

그냥
한없이 울고 싶은 오늘

감정의 날개는

언제 무엇을 구하고
언제 누구를 향해
날아갈 것인가

"다시 오고 싶다는
그 말씀은
바람에 쥐여 보낸
편지인가요"

Part 4.
가족을 그리며

 어머니

잘 지내세요
어머니

당솔나무 밑을 걸으시며
보단에 업힌 저를
부르고 또 부르시던 날과
천둥 치는 뒷산에 올라
핑경을 챙겨오던 아들을
부르고 또 부르시던 날을
추억하시며

잘 지내세요
어머니

솔잎 긁던 그 날과
고사리 꺾던 그곳마저
추억하지 못하는 날에도

저는
틀림없이
어머니와의 시간을
일구고 있을 테니

날개와 화살

나에게
날개가 있다면
참새처럼 포르르 날아가
내 아기가 꿈꾸는
하늘의 별 밭을 지키고 싶습니다

그리하여
내 아기가 힘들고 지칠 때
꿈의 화살을 쏘아주고 싶습니다

나에게
날개가 있다면
참새처럼 포르르 날아가
내 아기가 그리는
사랑의 임을 만나고 싶습니다

그리하여
내 아기가 외롭고 그리울 때
사랑의 편지를 전해주고 싶습니다

부모 자식

저 섬에서 건너온 나
이 섬에서 태어난 너
함께 걸으며 대화했느니
하늘과 들판과 사람들을

이제
애써 살펴왔던 때인가
나는 여기 나루터에 머물고
너는 저 섬으로 가야 할

우리 서로
가고 옴을 함께할 수 없기에
온 맘만 허공에 가득 차고

영원하기만 기원하나니
나와 너에게 펼쳐진
추억과 감사와 사랑이

’ 아버지의 노래

은실을 얽어매
삶을 짓고
줄을 타고 엮으며
비취색 하늘을 꿈꾸시던 분

뱃속에 은실이 가득 차면
흐뭇하게 잠이 들고
비바람이 말을 걸고
해와 달이 손길을 내밀어도
대꾸 없이
묵묵히 신작로길 오가시던 분

뱃속에 새끼들이 들어서면
은실마다 올올히 삶을 기록하고
그 위에 모두 던지겠다며
빈 술잔에 각오를 채우셨지

아
아버지의 노래여

아장아장 봄나들이

아장아장 걸어서
네 눈처럼 맑고
네 얼굴처럼 뽀얀 봄에게 가자

그리하여
따스한 볕에 눈 비비며 서 있는
아기 꽃봉오리를 보자

네가 꽃을 보며 예쁘게 웃는다면
네가 꽃을 보며 정겹게 다가선다면

모든 꽃이
꽃잎으로 나팔을 불고
꽃향기로 탬버린을 치리라

, 친정엄마

바람 소리
창문을 두들기던 밤
아내가 하염없이 웁니다

닦고 또 닦아주어도
눈물은 멈출 줄 모릅니다

하나의 점으로 생겨나
어느새 커다랗게 자리한
사모의 호수

나의 작은 정을
얼마나 던지고 던져줘야 채워질까

엄마
서러운 부름을 따라
끝내
나도 따라 웁니다

영천에서

앞에 선 너
마주 선 나
우린 서로 바라보며
오랫동안 숨죽이며 고여 있던 샘물을
두레박으로 뜨고 또 떠냈지

나의 한 두레박은
너의 수고로움을 안다고
너의 한 두레박은
나의 마음을 안다며

그렇게 떠 올린 샘물로
내 마음은 네가
네 마음은 내가
바라보며 씻어주고
얼싸안고 닦아주었지

그리고
아무도 모르게
아프게 맘속에 담은 것
네 귓가의 검은 위장 자국

＇ 안녕 도쿄

내가 걷던 이타바시 길
자전거와 버스와 전철
거울과 그릇과 컵
골목길 아지사이와 네코들
서로 주고받은 정이 켜켜이 쌓여 있습니다

하지만
이제 떠나야 합니다
그래도 저
밝게 웃으며 떠날게요
그래야
모두 맘 편해할 테니까요

저는 정말 새로운 곳에서도
열심히 살게요
그리고 꼭 다시 올게요

혼토니 아리가토고자이마스

신혼의 아내

내 품속
살포시 웃으며
다정하게 바라보는 당신
영원히 지울 수 없을 테고

내 마음속
한 올 한 올 정성의 옷을 짓는 당신
영원히 지울 수 없을 테니

나는 더욱
군고구마 같은 따끈한 정과
병아리 털 같은 포근한 사랑을
더해 가야겠지

그러면 우리
빛나는 별과 은은한 달이 비추는 창가에서
얼굴 마주하고 마시는 차 한잔에도
사랑은 가득 스밀 테니까

그립고 그리운
A Time For Us

，나동 아파트

무덥던 낮이 지나고
바람이 시원한 밤이구나
이렇게도 시원할까

옥상에 올라
하늘을 가르는 불빛 틈으로
별을 헤고 또 헵니다

보다가 보다가
지난 추억을 되새기고
보다가 보다가
엄마야 누나야 강변 살자

내가 부르니
아내도 부르고
시원한 밤바람이 음계를 그립니다

두 배 사랑

눈이 내리네
겨울 노래 들으며

첫 입맞춤 하던 날과
우물가에서 등목해 준 날과
결혼을 약속하던 날을 추억합니다

그러다 내가 말합니다
지난날들보다 오늘 더
오늘보다 다가올 날을 더
당신을 아끼고 사랑할게

아내가 웃으며 말합니다
나는 언제나 당신보다 두 배

, DDD2643

오랜 옛날
남쪽 나라 왕국에 공주가 살고 있었답니다

그는 정말
나를 사랑하고
나와 얘기하기만 바랐기에

그의 마음을 달래줘야 알 때
바람에게 은전을 바쳤고

바람은 구름을 뚫고
바다를 건너 그에게 갔답니다

바람을 보내다
더는 보내지 못할 때쯤

쓸쓸한 비가 내리곤 했답니다

,
그대는 나의

내 내가 그대를 처음 봤을 때
긴 머리 날리며 웃음 화살 쏘고 간
자전거 타는 소녀였지

소 소중한 화살촉은 내 맘에 박혀 싹이 되고
시간을 따라 흐르면서
키우지 않는 듯 자라고 있었지

중 중심을 헤집고 헤집어 슬며시 자리한 뿌리는
정의 잎을 펴고 추억의 줄기를 뻗어
나의 온 밭에 꽃을 피우고 향기를 뿌렸지

한 한알씩 한알씩 그리움이 쌓인 옹달샘은
시냇물이 되어 여기저기 흐르고 흘러
성숙한 호수에서 그대의 시냇물과 만났지

사 사랑합니다 눈으로 새기고 마음으로 다져
데워진 사랑은 증기가 되어 하늘에 고하고
닦여진 사랑은 거울이 되어 서로를 비추었지

랑 랑잠 랑잠 곡을 연주하듯
지금까지의 사랑을 되새김질하며
앞으로의 사랑도 소중하게 지킬테지

■ 그대 뜰 안의 꽃

"그대의 다정스런 마음에서
참사랑 얻고싶네"